Le voleur de goûter

AMÉLIE SARN

ILLUSTRATIONS DE
FLORENCE LANGLOIS

Chapitre 1

– **Q**ui a mangé mon goûter? C'est Julie qui a crié. Dans la classe tout le monde s'est immobilisé. Julie regarde son gâteau au chocolat croqué, grignoté, à moitié dévoré. Les enfants et la maîtresse n'osent plus bouger.

Nicolas se retourne
vers Capucine.

Capucine fronce
les sourcils
vers Clément.

Clément regarde
Gaëtane droit
dans les yeux.

Gaëtane prend le bras de Léo.

Léo lève les yeux
au plafond.

4

Jérémie se gratte la tête.
Il adore les mystères,
les grands mystères
et les petits.

Il a deviné où était le doudou de
 Capucine, qui avait disparu.
Il a aussi retrouvé la boucle d'oreille
que la maîtresse avait perdue.

On pourrait l'appeler
« Jérémie mène l'enquête ».
Il regarde Julie. Comme chaque matin,
elle avait déposé son goûter sur
la grande table des goûters. C'est là
que quelqu'un est venu le lui voler.

– Le voleur est forcément  un de nous, dit Jérémie.

– C'est vrai, dit la maîtresse en hochant la tête. Je crois que voilà une nouvelle enquête pour « Jérémie mène l'enquête ».

8

Chapitre 2

Jérémie commence son enquête.
Il examine tous les goûters.
Le voleur a mangé un morceau
de tous les goûters.
Un morceau du sandwich au chocolat
de Nicolas. Un morceau
de la tartelette amandine
de Capucine. Un morceau
de la banane de Gaëtane.

Un morceau du croissant de Clément. Il n'a oublié que le Choco de Léo.

Jérémie se gratte la tête. Ce voleur est habile et gourmand. Derrière lui, on ne trouve plus que des miettes.

Jérémie ferme la porte de la classe.
– Je vais tous vous interroger, déclare-t-il.

– Dis-moi, Nicolas, où étais-tu ce matin entre neuf heures et dix heures ?
Nicolas regarde Jérémie les yeux ronds :
– J'étais… à ma place dans la classe… Je faisais de la peinture.

– Oui, il était à sa place dans la classe, dit la maîtresse. Il a bien écouté tout ce que j'ai expliqué.

11

– Oui, bien sûr, réfléchit Jérémie.
Et toi, Léo, est-ce que tu aimes le chocolat ?

– Ou… Oui, murmure Léo, mais ce n'est pas moi. J'étais à ma place dans la classe. Je faisais un puzzle.

Les mains dans le dos,
l'inspecteur Jérémie
fronce les sourcils.
L'inspecteur Jérémie
n'aime pas qu'on
se moque de lui.

Il dit à Léo :
– Pourtant ton goûter est
le seul qui n'a pas été mangé !

13

Chapitre 3

Maintenant, tous
les enfants regardent Léo
bizarrement.
Mais Léo ne veut pas
se laisser faire.
– Pourquoi moi, pourquoi pas
Capucine? Vous ne trouvez pas
qu'elle sent la banane? dit-il.

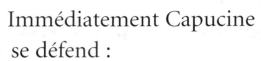 Immédiatement Capucine
se défend :

— Pourquoi moi, pourquoi
pas Clément ? Je suis sûre qu'il a
encore de la tartelette entre les dents.

— Pourquoi moi,
pourquoi pas
Nicolas ? s'exclame Clément.

 – Et pourquoi pas toi ? s'énerve Nicolas.

Jérémie se gratte la tête. Mais qui peut bien être ce voleur de malheur ?

– Chut, chuchote tout à coup
la maîtresse, j'ai entendu
un drôle de bruit.
Pour écouter,
les enfants arrêtent
de se chamailler.

Ils entendent un grattement.

Un froissement.

Un trottinement.

Mais ils ne voient rien !

19

— Un voleur invisible ?
murmure Jérémie.

– **Regardez !** crie Julie
en tendant le doigt vers la grande table
des goûters.

Sur la table des goûters, une petite
souris au museau rose et pointu
les observe sans bouger.

– Je la reconnais, dit la maîtresse.
C'est Mimi, la souris
apprivoisée.
Elle appartient aux grands
de la classe d'à côté.

– Cette coquine s'est échappée,
sourit Nicolas.

– Ils doivent sûrement la chercher,
dit Capucine.

– Nous devons la ramener,
dit la maîtresse.

– Est-ce que nous pourrons passer
lui rendre visite ? demande Clément.
– Oui, pour savoir si elle va bien,
dit Gaëtane.
– Et lui apporter tous les jours
un peu de notre goûter,
ajoute Léo.

FIN

© 2000, Éditions Milan, pour la première édi
© 2008, Éditions Milan, pour la présente édit
300, rue Léon-Joulin, 31101 Toulouse Cedex
www.editionsmilan.com
Loi 49.956 du 16.07.1949 sur les publications
Dépôt légal : 2e trimestre 2008
ISBN : 978-2-7459-3254-9
Imprimé en France par Fournié
Création graphique : Bruno Douin
Mise en page : Graphicat